W9-AST-574

Para Mathyas

Traducido por Diego de los Santos

Título original: *Une chanson d'ours*
Texto e ilustraciones de Benjamin Chaud

Acuerdo realizado a través de la agencia literaria Isabelle Torrubia

Edelvives Talleres Gráficos. Certificado ISO 9001
Impreso en Zaragoza, España

ISBN: 978-84-263-9178-0
Depósito legal: Z 71-2014

LA CANCIÓN DEL OSO

Benjamin Chaud

EDELVIVES

Pronto llegará el invierno. Los días son frescos y el cubil está muy tranquilo. Papá oso ya está roncando: la hibernación puede empezar. De repente, una abeja apresurada pasa a toda velocidad ante su puerta con un zumbido irresistible.

uien dice abeja, dice miel. El osito lo sabe y, saltito a saltito, decide seguirla.

Papá oso siente una corriente de aire frío donde debería haber sentido el calor de la barriga del osito. «¿Dónde se habrá metido?», se pregunta papá oso, que tarda un poco en darse cuenta de que el osito ha desaparecido.

un salto, se lanza a buscarlo por el bosque. Busca por todas partes, se encuentra con animales
pelo y con animales de plumas, con toda clase de abetos y con leñadores aterrorizados,
ro ni rastro del osito. ¡Qué fastidio!

Después de mucho correr, papá oso llega a un lugar lleno de humo y de ruidos.
Cada vez hay menos árboles y cada vez está más preocupado.

ntre el gentío distingue dos orejitas peludas que bien podrían ser las del osito,
ero vistas de cerca... No, no es él. ¡Qué desilusión! ¿Dónde se habrá metido?

Con tanto jaleo, papá oso ya no sabe dónde buscar. De pronto, el corazón le da un vuelco de alegría: cree haber reconocido el culete inconfundible del osito, que se desliza entre dos columnas de piedra más altas que los más altos árboles del bosque.

sin pensárselo, echa a correr tras él.

Papá oso está muy impresionado. Jamás había entrado en un lugar tan elegante. Todo brilla, como si el suelo y el techo estuviesen cubiertos de luciérnagas. En la carrera, tropieza con un perchero, se enreda en una espléndida bufanda y una chistera aparece en su cabeza.

uy peripuesto, cruza sin llamar la atención el gran vestíbulo de la ópera en busca del osito,
que no consigue encontrar.

Se asoma por una puerta y asusta a unas extrañas aves, que huyen de allí volando sin dejar de piar, en una nube de plumas. Papá oso no tiene tiempo para disculparse. Se lanza por una escalera de hierro que gira en todas direcciones. Sube, baja, sigue buscando... pero no hay

rastro del osito. Entonces oye a lo lejos una música muy bonita y decide acercarse.
uién sabe, quizá el osito esté allí arriba, en lo alto de la pasarela. O quizá abajo...

Llegado a lo más alto, papá oso se inclina hacia delante y, «¡patapum!», resbala por encima de la barandilla. La música deja de sonar bruscamente. «No era el mejor momento para caerse de la pasarela», piensa papá oso, que, por suerte, ha logrado agarrarse a la enorme araña.

dos lo miran fijamente. ¡Qué vergüenza!

osito le voy a soltar un buen rapapolvo cuando lo encuentre», piensa papá oso.

Con esa luz tan brillante que lo deslumbra, es imposible ver si el osito está en la sala. Además, papá oso preferiría no encontrarse sobre el escenario en medio de tal silencio, con todo el mundo mirándolo.

Qué esperarán de él? ¿Debería tal vez cantar una canción?

Papá oso respira hondo, se aclara la voz, «Ejem, ejem, ejem», y decide entonar una canción de os
que le cantaba su mamá; una canción dulce que escuchaba siempre para dormirse.

a canción que llena de ternura el corazón de todos los osos y que comienza así:
GROOOOOOOAAAAAAAAARRRRRR!»...

De pronto, una señora grita: «¡Es un oso!». El pánico cunde en la ópera y el público corre atropelladamente hacia la salida, chillando.

medio de tanto jaleo resulta imposible para cualquiera, incluso para un oso,
contrar a su hijito.

Vuelve a hacerse el silencio en la gran sala, ahora completamente vacía. Papá oso oye dos patita
que aplauden.

—¡Bravo, papá! ¡Qué bonita! —exclama el osito, cómodamente instalado en un asiento.

antes de que a papá oso le dé tiempo a abrir la boca, el osito le tira de la pata.
usto antes de que empezase el espectáculo, he seguido a una abeja y ya sé dónde vive.
gueme, te lo voy a enseñar.

Sobre el tejado de la ópera, entre las colmenas, papá oso se siente muy orgulloso.
—¡Ay, osito!, me has dado un buen susto, pero con toda esta miel y estas vistas tan bonitas, has encontrado el lugar ideal para hibernar.

.o que me fastidia —dice el osito— es que no consigo distinguir a la abeja a la que perseguía
tre todas las demás.
Y si le cantas una canción de oso? —le propone papá oso.

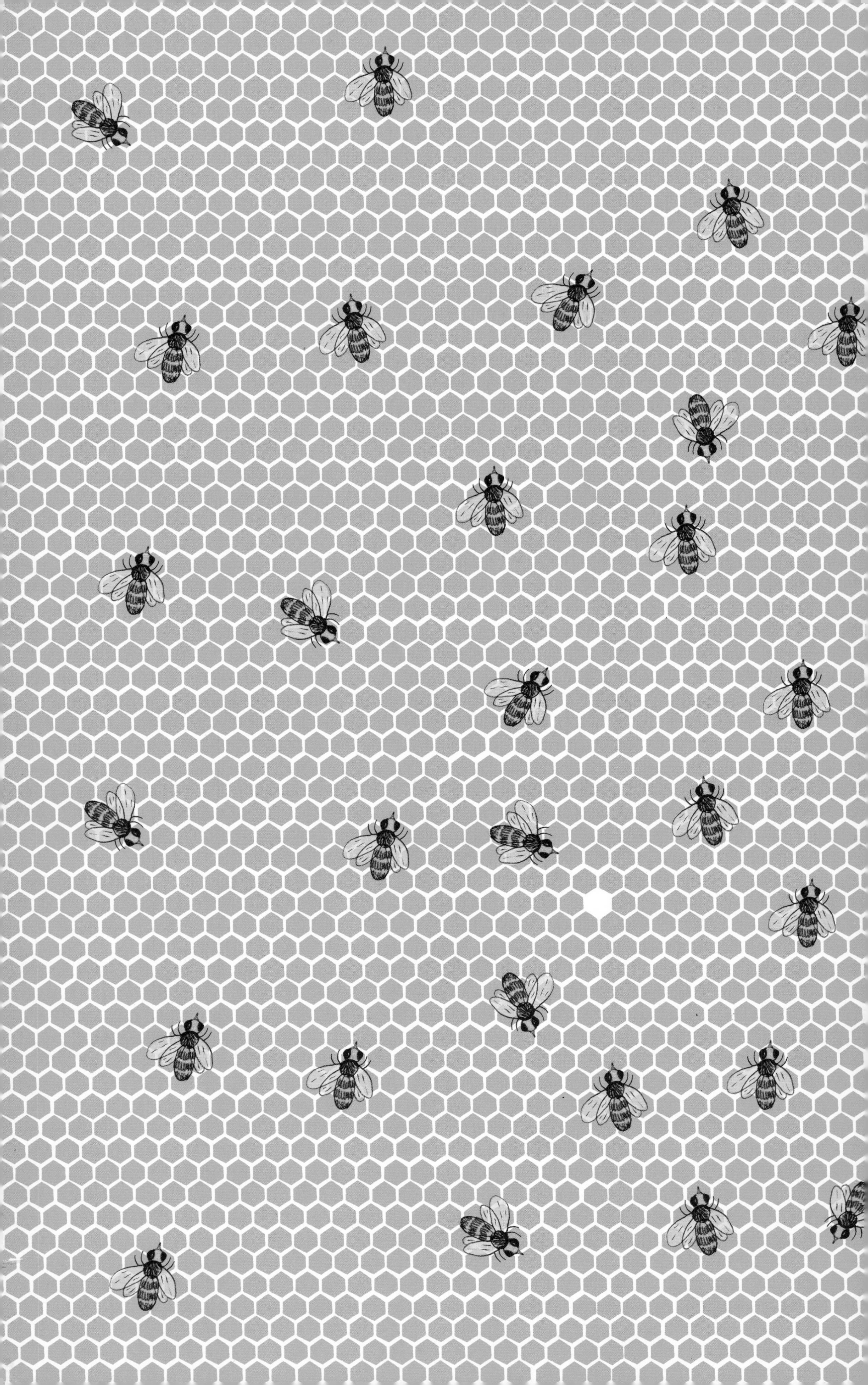